KB196431

저자 전영현

작가는 한 회사에 20여 년간 다녔고, 작년 2014년 12월에 사표를 냈다. 큰 결심이었지만 어렵지 않았고, 도움이 되었던 공간이었지만, 그립지 않다, 고 말한다. 20여 년간 항구에 정박해 둔 배와 같은 삶을 살아왔다면, 지금은 그 배의 닻을 올리고 거친 풍랑을 가르며 항해하는 모험가가 되었다. 마라톤, 그림, FACE ART, 야생화 기르기, 사진 찍기, 요리, 독서 등 지금 할 수 있는 일은 무조건 시도하는 작가의 삶은 생각보다 잔잔한 바다를 항해하는 것 같기도 하다.

책을 통해 용기를 얻으면서, 글자 모양에 대해 많은 생각을 했다. 수많은 글자의 다른 모양이 책의 내용만큼 흥미로워지기 시작했다고 한다. 그러다 글자로 그리는 그림을 떠올리고는, 그림을 하나의 얼굴로 하는 건 어떨까라는 생각으로 FACE ART를 만들었다.

무언가를 종결한다는 건, 겁낼만한 일이 아니다. 그건 다른 일의 시작을 알리는 일이자 다른 일을 할 기회가 생기는 일이다. 작가는 다른 이들도 자신처럼 시작할 수 있는 발판이 멀지 않다는 걸 깨닫기를 바라며, 글과 그림 작품 활동을 놓치지 않고 있다. 더 많은 사람이 자신의 이야기를 보고 들어주길 바라면서 말이다.

나랏말씀과　　국

나랏말씀과 얼굴

초판 1쇄 인쇄 2015년 6월 19일
초판 1쇄 발행 2015년 7월 4일

지은이 전영현
발행인 유준원
고문 강원국
편집 박주연
디자인 이완수
경영지원 김정숙
발행처 도서출판 더클
공급처 명문사
출판신고 제2014-000053호
주소 서울시 금천구 디지털로9길 47 한신아이티타워 2차 402호
전화 (02)6213-3222 팩스 (02)2025-3223
전자우편 thecleceo@naver.com

도서출판 더클은 독자 여러분의 책에 관한 아이디어와 원고 투고를 기다리고 있습니다.
출간을 원하시는 분은 thecleceo@naver.com로 개요와 취지, 연락처 등을 보내주세요.

나랏말씀과 얼굴

이팝나무, 하얀속 살이 튀밥처럼 북 풀어진 봄날

　윤성택 시인의 글에서 '이팝나무'와 마주쳤을 때, 튀밥이라는 단어가
자연스럽게 따라왔다.

　어느 따뜻한 봄, 마을 장날 시골 아저씨의 튀밥기계 속에 들어간 쌀알
이 스스로 몸을 부풀리는 시간을 만나 '펑' 하얀 속살을 드러내는 것처
럼…

　봄이라는 시작의 계절. 그리고 모든 게 끝나는 곳을 향해 가는 시간에
서, 나에게 스스로 몸을 부풀려 다가온 건 '한글로 그리는 얼굴'이었다.

　그림을 그릴 때, 머릿속에 잠겨있던 쌀알들은 마치 튀밥기계 속에 들어

가 있는 것처럼 펑하고 터져 나온다. 그 알갱이들은 쌀의 모양을 잊은 것처럼 새롭다. 내 안에 들어있는 생각, 느낌. 모든 것 하나하나가 그림 하나로 다르게 표현된다.

우리 모두는 자신만의 빛이 있다. 이 빛이 가꾸어지기 위해서는 나를 뜨겁게 돌려내는 튀밥기계 속으로 들어가야 한다. 나만의 것으로 바꿔야 하기 때문이다.

튀밥기계는 단련의 시간이다. 일정한 시간이 지나면 터지고 만다. 이팝나무에 꽃이 터지듯 말이다.

회사를 다니면서 즐거운 시간을 잊고 지냈다. 그리고 회사를 사직하던 날 나는 오랜만에 '기쁘다'는 감정을 느꼈다. 하고 싶은 일을 마음대로 할 수 있다는 생각에 흥분됐다.

꽤나 긴 시간을 살아온 만큼 긴 시간의 행복이 남아 있다면 좋았겠지만, 나에게 남은 건 긴 시간동안의 불행이었다. 살아가면서 자신이 좋아하는 일을 발견하고, 한다는 게 쉽지 않다. 그러나 나는 드디어 찾게 됐다.

이팝나무의 꽃말은 영원한 사랑이다. 영원히 사랑할 수 있는 존재, 사랑해야만 하는 존재는 자기 자신이다. 하지만 우리는 종종 잊게 된다. 내가 사랑할 수 있는 존재가 누구냐에 따라 우리의 삶은 달라지는데도 불구하고 존재의 자리를 비워둔다.

빈자리에 '나' 자신을 앉혀야 한다. 자신을 사랑하는 사람이 남을 사랑할 수 있다. 그리고 나를 사랑해야, 남들도 나를 사랑해준다.

나는 나를 사랑하기 시작했고, 남들을 사랑하기 위해 그림을 그렸다. 그림을 그리고 있을 때면 삶이 축제라는 말을 가깝게 느끼고는 했다.

답이 보이지 않을 때, 가끔은 고개를 돌려 주변을 살펴야 한다. 나는 내가 끝까지 버티는 게 답이라고 생각했지만, 손 위의 짐을 내려 놓고 주변을 둘러보자 다른 답변이 나왔다. 나에게는 이팝나무, 이 단어가 하나의 길을 내준 일이다. 생각하지 못했던 신경 쓰지도 않았 던 일에서, 튀밥기계 속 뜨거운 열기에 몸집을 키우는 내가 나오게 됐다.

차례

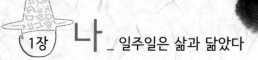

1장 **나** _ 일주일은 삶과 닮았다

2장 한글 _ 그림으로 말하는 한글

3장 관계 _ 관계에 관한 기억

책 _ 책으로 그려낸 그림

4장

5장 호기심 _ 경험의 겹

나

― 일주일은 삶과 닮았다 ―

책 옆에서 나는 글자를 그린다

글자는 얼굴이 된다.
책은 일상의 병病 안에서
나를 위로한 유일한 페이지다.
자음과 모음.
얼굴과 단어.
나 그리고, **나**

전영현|

펜을 드는 새벽의 빛이 밝게 빛나기 시작했다

나랏말씀과 얼굴

월급을 받는다…

월급

月

독일 속담에

'돈을 받으면 자유를 잃는다'는 말이 있다.
어디까지나 먹고 사는 일에 자유를 빼앗긴다.
딱 빼앗긴 자유만큼 일에 매달려 본다.
매일 반복되는 갈등이다.
빤한 일상과 반복되는 외부의 불만에 답은 없다.

어차피 그저 월급만 기다리는 월급쟁이의 삶이라는 게,
현실일 뿐이다.

스트레스를 풀어야 한다

火

스트레스를 푸는

가장 빠르고 편한 방법은 술이다.
술 몇 잔에 금세 몸과 마음이 행복해진다.
이 행복이 그대로 쭈욱- 이어지면 얼마나 좋을까.
술을 마시고 오는 행복은 잠깐의 착각이다.

스스로의 화를 건강하게 다스리는 건
그림이 가장 옳은 방법이었다.
화火를 화畵로 다스리는 법을 나름 터득했다고 할 수 있다. 🔲

우리는

아프지만

아무소리도

내지르지 못한다

아우성|

水

매일매일 야근의 연속이었다

실적이 없다는 말만 되풀이 되는 싸움이다.
노력을 하고 있지만, 안 된다는 말 대신 죽는 시늉이라도 해야 한다.
우리는 어린애가 아니다. 그런데도 회사 안에서는 어린애가 된다.
이성복 시인의 '모두 병들었는데 아무도 아프지 않은' 것이라는 말처럼
우리는 아프지만 아무 소리도 내지르지 못한다.

먹는 일이 중요하다.
일주일의 중간점에서 무리 없이 할 수 있는 건,
맛있는 음식으로 기분을 해소하는 일이다.
상처 난 부위에 약을 바르듯
어지러운 속을 해장국으로 풀 듯
치료와 해장을 느긋하게 음식으로 하는 건 어떨까?

일주일은 삶과 닮았다
시작하고, 버티면
쉬는 때가 온다

木

일주일은 삶과 닮았다

시작하고, 버티면 쉬는 때가 온다.
해결해야 할 문제가 많아지는 시기가 온다.
이럴 때가 가장 일에서 멀어져야 하는 때이기도 하다.
어차피 많은 일을 혼자서 해결하지 못한다.
그렇다면 마음의 안정이 먼저이지 않을까?
그래야 휴식의 주말까지 완주할 수 있으니 말이다.

마음 가는 대로 책을 읽었다. 고르지 않고, 손에 잡히는 대로 읽었다.
책이라는 자극으로 일주일을 완주할 수 있는 힘을 받았다.
변화를 위한 준비를 해야 할 시기라고 생각해,
무작정 미국에 가 상담공부를 했다.
나를 알게 되었고, 인생 후반전의 시작점이 된 시기다.

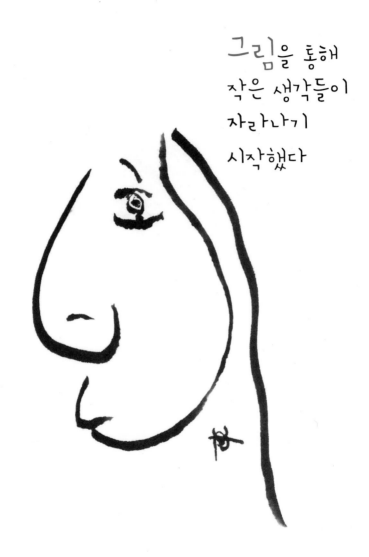

나랏말씀과 얼굴

그림을 통해
작은 생각들이
자라나기
시작했다

변화|

일주일을 마감하는 시기는

토요일도 일요일도 아니다. 금요일이다.

영업사원의 인격은 실적이다. 외부환경은 중요하지 않다.

어떻게든, 어떤 일이 있든 목표는 달성 해야하는 몫이다.

생지옥의 아수라장 금요일에서 나에게 다가온 건 그림이었다.

모든 일은 우연을 가장한 필연일까?

스스로 숨 막히는 시간을 위로해 주는 건 그림뿐이었다.

사는 게 무엇일까? 이런 생각을 할 여유도 없었지만,

그림을 통해 작은 생각들이 자라나기 시작했다.

나랏말씀과 얼굴

어떻게 사는 게
옳은 일인지에 대해서
갈등과
고민이
깊어졌다

고민|

土

주 5일 근무라는 건…

사실 있지도 않은 허상 같은 이야기다.
끝이라고 생각했을 때,
다시 시작하는 돌림노래처럼.
어떻게 사는 게 옳은 일인지에 대해서
갈등과 고민이 깊어졌다.

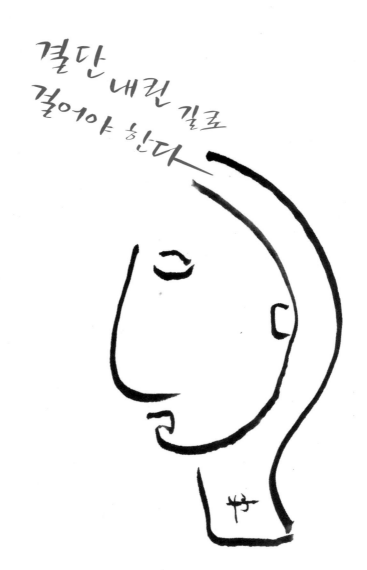

결단 내린 길로
걸어야 한다

나랏말씀과 얼굴

결단 |

숨을 돌리게 되는 일요일 새벽

모악산에 오른다. 걷고 걸으면서 고민을 한다.
늘 똑같은 말만 외쳤다. 돈에 끌려가는 삶이 싫다는 말이었다.
내가 좋아하는 일을 하는 게 정답이다.

산 중턱에 멍하니 서서 정답을 읊조렸다.
뻔히 알고 있는 정답에서 왜 내가 멀리 떨어져만 있었을까?
결단이 필요하다고 뒤쫓기만 하면 안 된다.
그냥 그대로. 결단 내린 길로 걸어야 한다.

회사를 다닌 **이십 년**이라는 시간을
일주일로 환산한다면,
수요일까지 모든 걸 바쳐 일한 시기였다.
실수도 있었고, 문제도 있었다.
남들은 다 할 줄 안다는 아부를 할 줄 몰랐다.
좋은 일보다는 나쁜 일이 더 많았고,
남들보다 좋은 대가를 받은 적이 없었다.
그래도 나는 조직의 힘을 넘고 싶었다.
그래야만 나를 넘는 일이 될 것 같았다.
나를 믿었지만,
벽이라는 공간은 쉽게 허물어지지 않았다.

나를 믿었지만,

벽이라는 공간은

쉽게 허물어지지 않았다

나랏말씀과 얼굴

목요일이 되었을 때, 정신을 차렸다.
'어차피 변하지 않는 것은 계속 변하지 않는다'
진리와도 같은 말이다.
내가 바꾸려 하지 말고,
내가 바뀌면 된다.

나를 위한 시간을 늘렸다. 2년이라는 세월이 빠르게 지나갔다.
회사의 수레바퀴는 녹슬지도 않은 채 여전했지만, 나는 변했다.
그림을 배웠고, 그걸 통해 새로운 걸 발견했다.
회사에서는 느끼지 못했던 자신감이 생겼다.
제2의 새로운 인생을 위해
수레바퀴에서 벗어나기로 했다.

"새는 알에서 나오려고 투쟁한다.
알은 세계다.
태어나려는 자는
하나의 세계를 깨뜨려야 한다"

나는
사직서를
냈다

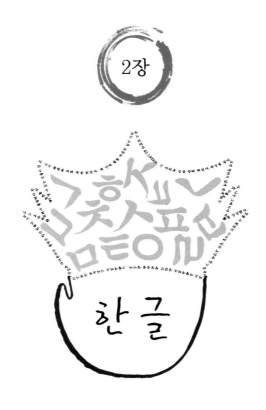

2장

한글

ㅡ 그림으로 말하는 한글 ㅡ

알을
깨는
삶

"새로움을 창조하고 부가가치를 만들어 모든 사람과 공유한다."

네이버 블로그에 있는 나의 모토다. 이 모토는 책을 읽으면서 발견한 길이다. 책을 읽으면서 그동안 생각하지 않았던 생각들이 점점 자라나기 시작했다.

아무런 목표도 없이 살던 내게 무엇을 하도록 방향을 정해주었다. 사실 방향을 정한 건 내 자신이기는 하다. 그 변화의 발판이 책이었다.

등불 같은 책을 읽으며 나도 모르게 낙서를 하기 시작했다. 형태나 의식의 흐름은 신경 쓰지 않았다. 목적이나 목표라는 게 없으니 더 자주 낙서를 하게 됐다. 책을 읽으면 읽을수록 낙서는 다양하게 늘어났다.

나는 스스로 질문했다. '왜 나는 이런 낙서를 하고 있는 걸까?' 이유는 간단했다. 새로움을 만들고 싶었다.

내가 무의식중에 원하는 새로움이란 무엇일까, 어떻게 만들어가고 있을까. 사실 새로움에 대해서 아는 건 아무 것도 없었다. 그러나 새로움이 항상 내 곁에 있다는 걸 확신했다. 책을 읽고 다른 사람의 삶으로 들어가는 것 자체가 새로움이었다.

나는 이유 없이 움직인 펜의 방향을 바꿨다. 한 글자, 한 글자에 집중했다. 그리고 글자로 낙서를 시작했고, 얼굴을 만들게 됐다.

전혀 예측하지 못했던 결과였다. 내 안에 있던 씨앗이 발아하고 싹을 틔어 세상에 없던 결과를 만들어 냈다.

좋아하는 일은 적당히가 아니라 무조건 미치게 즐겨야 한다. 그러면 그 안에서 새로움이 움트고 자라난다. 나는 다음을 준비하기 위해 책 속을 걸었다. 그래서 얻게 되었다.

자신을 아는 일부터 시작한다면 좋다. 그래야만 새로움과 중요함을 깨달을 수 있기 때문이다. 🔲

출발은 항상 힘들다

"출발이 제일 힘들다고 한다.
그러나 다시 출발하는 건 더욱 힘들다."

베르나르 올리비에 『나는 걷는다』

출발은 항상 힘들다. 그러나 그 다음을 찾기 위해서 출발해야 한다.
출발을 해야 알 수 있는 것들이 있다. 나는 출발을 위해 책을 읽었
다. 책 안에 출발 다음의 길이 기다리고 있었다.

42.195km, 긴 마라톤 길을 뛰었다. ▶

마라톤과의 인연은 우연하게 시작됐다. 2001년 8월 가족들과 임자도에 휴가를 갔을 때였다. 때마침 그곳에서 해변마라톤 대회가 있었다.

'해변의 길을 따라 마라톤을?'

시도해 보고 싶은 충동이 나를 자극했다. 휴가라는 건 휴식의 기간이다. 휴식의 기간에 나는 새로운 일에 도전하는 걸 선택했다.

평소 운동을 하지 않은 몸은 뛸 때마다 힘들었다. 턱 아래까지 차오르는 숨을 참아내며, 여름 샌들을 신고 완주를 했다. 대회를 마친 후 주최 측에서 준 책자를 집에 도착해서야 펼쳐볼 수 있었다.

한 달 뒤 부안에서 마라톤 대회가 열린다고 했다. 처음 마라톤을 할 때 숨이 턱턱 차오르던 느낌이 아직도 남아있을 때였다. 나는 곧장 하프코스를 등록했다. 그리고 이번엔 준비가 필요하다고 생각했다.

헬스클럽에 등록해 러닝머신으로 달리는 연습을 했다. 매일 한 시간 씩 뛰었다. 러닝머신에서 내려오면 온몸이 땀으로 흠뻑 젖어 있었다.

나름 몸을 만들고 준비했다고 생각했지만, 두 번째 마라톤도 고통스러운 시간이었다. 중간에 그만 발을 멈춰버릴 때도 있었다. 그런데도 불구하고 마라톤의 매력에 흠뻑 빠졌다. 전국에 있는 마라톤 대회를 찾아보게 됐다. 완주가 주는 기쁨, 하나의 성취감에 반해버린 것이다.

마라톤 풀코스에 참가하려면 최소 3개월 전부터 몸을 만들어 둬야 한다. 참여 가능한 마라톤 풀코스를 등록하고 나서는 매일 달리기를 2시간씩 했다. 숨이 제대로 쉬어지지 않을 정도로— 막힐 것처럼 쉬게 되는데, 이때 기분이 가장 좋다. 구름 위에 살짝 떠 있는 듯한 기분. 낚시할 때 물고기가 걸린 손맛과 같은 짜릿함이 있다.

마라톤은 자기관리와 신체의 개별적 통제를 통해 자기 극복으로 완성된다.

마라톤을 시작한 지 이제 10여 년의 시간이 지났다. 나는 그동안 풀코스 완주를 3번 했다. 풀코스 도전은 자주 하지 못했지만, 마라톤을 통해 체력을 단련시키고 잠자고 있던 세포들을 꿈틀거리게 만들었다.

마라톤이라는 건 겁부터 나게 만들기도 한다. 하지만 한 번 출전 결심을 하면 절대 포기하지 않았다. 내가 출발을 하고 끝까지 완주한다는 것 자체에 의미가 있는 일이니까.

　세상을 살다보면 뜻하지 않게 겪게 되는 일들이 많다. 나는 그때마다 마라톤을 상상했다. 멈출 수 없었던 기나긴 길의 모양과 잠시 멈추더라도 어떻게든 다시 움직였던 발걸음을 말이다. 그렇게라도 가다 보면 언젠가는 결승점에 다다른다는 것을 알기 때문이다.

　마라톤은 지금 내가 출발이라는 말을 생각하고 아직도 성장할 수 있도록 만들어 준 계기다. 🔲

| 마라톤

꿈을 향해 가는 길에서
가장 중요한 건 변화다

꿈을 향해 가는 길에서
가장 중요한 건 변화다

변화의 암벽은 생각보다 단단하다.

한 손씩, 한 발씩 천천히 오르면 된다.

다만, 물러설 수 없다.

물러서면 떨어진다는 절박함으로 매달려 암벽을 올라야 한다.

모든 지구력을 단련해 암벽을 오르는 이유는

암벽을 다 올라 정상에 두 발을 디딜 때 알 수 있다.

암벽에 매달려 있을 때 몰랐던 길이 눈앞에 펼쳐지기 때문이다.

변화는 새로운 길을 만든다.

스스로 진화를 할 수 있도록 만들어 준다.

나는
내가
좋다

나 자신을 사랑하기란 어렵다

나는 나를 가장 잘 아는 존재다.
내 안의 아름다움보다는 조금 더 나약한 내면을 먼저 보게 된다.

그러나 나는 내가 좋다.
스스로 발견하고 시작한 걸음이 있다.
책을 읽고 한글로 그림을 그리는 걸음이 좋다.

무엇이든 시작할 수 있다는 게 행복이고,
내 안에서 오는 기쁨의 길이다.

나랏말씀과 얼굴

변화의 전환점은
다르게
시작하는 일이다

다도|

대기업 회장의 책에 이런 구절이 있다

"마누라 자식 빼고 다 바꾸자"
개혁을 하자는 말이다.

다르게 읽고, 다르게 생각하고, 다르게 행동하면
내가 의도하지 않아도 모두 바뀌어 있다.
변화의 전환점은 다르게 시작하는 일이다.
나는 다도와 영화치료, 동화쓰기까지
제2의 인생을 살아갈 때 등불이 되어줄
소중한 인연과 지금 연애하는 마음으로 살고 있다.

♫ 소리만으로
　　그림이
　　　그려지는
　　　　세상이었다 ♪

라디오

ㄹ

라디오를 처음 접하게 된 건,

내가 국민학교 3학년 때였다.

그해 군대를 제대한 삼촌은 라디오를 선물로 두고 갔다.

맑은 하늘색 라디오를 껴안고 라디오 연속극을 들었다.

소리만으로 그림이 그려지는 세상이었다.

얇은 회로에 담겨 있는 노랫소리가

먼 어린 시절의 뒤안길에서 울리는 것 같다.

소리로 공간을 상상하고, 그 안의 주인공을 그려내는 일들…

아마 나는 라디오로 상상을 시작하지 않았을까?

마음이라는 게
무엇인지도 모르던 시절
무엇이 무엇이라는 걸 알기도 전에
우리는 이미 안다

마음心

나주에 살던 어린 시절,

어머니를 따라 종종 절을 다녀왔다.
그 어린 나이에 오솔길의 적막과 절에서 울리는 종소리가
마음을 평안하게 만들어 주는 것만 같았다.
마음이라는 게 무엇인지도 모르던 시절.
무엇이 무엇이라는 걸 알기도 전에 우리는 이미 안다.
다만 그것이 어떤 것이라고 확실한 이름을 찾지 못할 뿐이다.

내 경험 속 절의 평화스러운 풍경은 마음의 밭에 심어졌다.
마음의 밭은 어린 시절의 느낌으로 바깥으로 확장이 된 게 아닐까.

나랏말씀과 얼굴

나도
바람이 되고 싶었다

바람ㅣ

ㅂ

바람은...

방향에 따라 동쪽에서 부는 샛바람, 서쪽에서 부는 하늬바람, 남쪽에서 부는 마파람, 북쪽에서 부는 된바람이 있다. 부는 세기나 상태에 따라 산들바람, 실바람, 솔솔바람, 회오리바람, 비바람, 태풍, 열풍, 광풍...

무수히 많은 이름, 얼굴을 갖고 있다.

언젠가는 나도 바람이 되고 싶었다.

내 마음 안에서, 누군가의 마음 안에서

상태를 바꾸어 나가는 바람이 되고 싶었다.

결국 그건—

누군가에게 은유되고 싶었다는 일임을 깨닫게 되었다.

뷰파인더로 보는
세상과
내 눈으로 본
세상

사진|

사진이 주는 인상은 하나의 소재가 된다

사진을 찍으면서는 몰랐던 감정과 시선들이 글을 통해 나왔다.
경험이 무한정 잦을 수는 없다.
뷰파인더로 보는 세상과 내 눈으로 본 세상.
그리고 인화된 사진으로 본 세상은 각각 다른 경험을 말하고 있다.

그냥 찍는 것만이 전부가 아니다. 다양하게 보았다는 걸
다시 내가 아우르는 작업이 필요하다.

하나의 시선과 하나의 경험만으로는 전부를 읽을 수 없다.

나랏말씀과 얼굴

어머니의
마음이
알고 싶었다

어머니

결혼 후 어머니와의 불화가 잦았다

처음으로 '마음이 맞지 않다'고 느꼈다.

불편함이라는 건 고정된 의식을 갖게 했다.

무엇을 해도 여전히 껄끄러웠다.

어머니의 마음이 알고 싶어 상담공부를 시작했다.

상담을 배우면서 나를 둘러싸고 있는 껍질의 본질을 점점 알게 됐다.

불편하다는 마음은 작은 사건들이 만든 일종의 선입견일 뿐이었다.

분노라는 감정을 시작 한 뒤에는 늦다.

따뜻한 마음이라는 걸 가진 뒤에—

분노라는 감정을 다 없앤 뒤에.

상처를 치유하는 방법을 알 수 있게 되었다. 🔲

자신을
안다는
것

ㅈ

자신을 안다는 것처럼 중요한 일은 없다

우리는 자신을 다 잘 안다.
하지만 자만 하고 있다는 생각도 든다.
제대로, 명확하게 아는 걸까?
나를 제대로 아는 시간은 오랜 시간이 걸린다.
내 내면에서 들리는 아이의 목소리까지 귀를 기울여야 한다.

나랏말씀과 얼굴

새로움

차이나타운

ㅊ

자동차가 세상을 연결해주는
것일지도 모른다는 생각이 들었다.

한글이 아닌 자동차의 이미지를 통해 그림을 그리고 싶었다.
새로운 시도는 다양하게 할 생각이었다. 차로 눈을 만들었다.
새로움, 낯선 것, 파격.
다시 집중하면 어떻게 뛰어 넘을지에 대한 고민을 하게 된다.
차를 타고 먼 곳에 있는 추상적인 단어를 만나
속 시원하게 알아오고 싶어진다. 🖃

나랏말씀과 얼굴

순수한
어린 아이의
눈으로

카메라|

카메라 렌즈는 하나의 눈이다

세상을 그대로 담아내기에 좋다.
사진작가 의도에 따라 풍경이 제각각 다르게 만들어지지만,
실재와 다른 효과를 인위적으로 넣을 수 없는 도구다.
사람을 찍을 땐, 상대가 의식하지 않을 때 렌즈 안으로 형체를 담아
낸다.
찍힌다는 의식 없는 형체가 가장 아름다운,
자연스러운 모습으로 남는다.
사진을 찍을 땐, 순수한 어린 아이의 눈으로 형체를 바라봐야 그대로
의 모습을 담아낼 수 있다.

나는 꽃을 심고 가꾸면서
그들에게 내 발소리를 기억하게 만들고는 한다.
꽃들의 가장 자연스러운 상태에 나는 스며든다.
그리고 렌즈 안에 담는다.
꽃들의 자연스러움을 배우고,
순수하고 깨끗한 마음으로 되돌아가면
잃어버린 어린 아이의 모습과
꽃들의 자연스러움을 어느새 닮게 된다.

나에게도 혼불이 있다

타오르는 불을 바라보면
내가 빨려 들어가는 느낌이 든다

불꽃은 나를 부르지 않은 채
마음을 둥둥둥 두드려 진동을 울리게 만든다.
최명희 작가는 존재의 핵이 되는 불꽃, 혼불에 대해 이렇게 말했다.
어떤 사람의 몸에 혼불이 있으면 산 것이고 없으면 죽은 것이다—
목숨의 불, 정신의 불, 삶의 불. 사람을 사람답게 하는 힘의 불이다.

타인과 만나 이야기를 하면 그가 혼불에 비추어 다가온다.
각각의 얼굴에서 드러나는 표정들,
그 안에서 만들어지는 인상이 혼불 으로 들어와 그 사람을 보게 한다.
내 눈은 혼불이 되어 타오른다.
마음을 안다는 것은
세상에서 가장 소중한 보물을
가슴에 뜨겁게 새기는 일이다.

나랏말쏨과 얼굴

새로운 길

내를 건너서 숲으로
고개를 넘어서 마을로

어제도 가고 오늘도 갈
나의 길 새로운 길

민들레가 피고 까치가 날고
아가씨가 지나고 바람이 일고

나의 길은 언제나 새로운 길
오늘도… 내일도…

내를 건너서 숲으로
고개를 넘어서 마을로

파주|

파주, '지혜의 숲'

잠자는 책들의 행간을 보면,
생각들이 버들잎처럼 돋아나 대나무처럼 자라게 한다.
마디 사이사이 정보와 감정 안에서 나도 자라난다.
윤동주 시인의 〈새로운 길〉이 들어찬 날이다.

삶을 항해하는 건 나 자신이다

항해

ㅎ

'하나만 알고 둘은 모른다'

융통성 없는 삶은 어렵다.

때에 따라 몸과 자세를 바꾸고, 생각을 바꿔야 하는 게 중요하다.

사실 나는 융통성이 부족한 사람이다.

한 가지 생각에 골몰하게 되면,

다른 방식과 변화는 배제하는 사람이었다.

나 자신을 잘 모르기 때문이었다.

삶을 항해하는 건 나 자신이다.

나 자신만의 명확한 '사고의 틀'이 필요하다.

사고의 틀은 고집이 아니다.

때에 따라 내가 내 자신을 탄력 있게 변화하게 만드는 일이다. ▶

　어린왕자 책에 이런 말이 있다.

"네가 오후 네 시에 온다면 난 세 시부터 행복해지기 시작할 거야"

　망망대해 삶을 항해 하다보면 나를 행복하게 해주는 무언가가 생긴
다.

　사람이거나, 사물이거나— 간혹 구체적이지 않은 감정들이 튀어 나
온다.

　고정된 나를 만들지 않는다면 내가 행복할 수 있는 일들은 더 다양
해진다.

　그리고 그 행복한 일들은 나에게 도달하기 전부터 나를 설레게 만들
게 분명하다. 🔲

순수함

그림으로
말하는
한글

　책을 읽으면 숨어있던 감각이 깨어난다. 제일 처음 시각이 움직인다. 눈동자가 좌우로 움직이면서 책 속의 숲길을 따라 걷는다. 책에는 단어와 단어 사이의 길이 존재한다. 명사, 동사, 조사, 형용사들이 빽빽하게 세워진 풍경에 귀를 기울이면 다른 감각들이 자연스럽게 움직인다.

　이 감각들이 상호 작용을 해 감정이라는 숲길에서 발걸음이 멈출 때 하나의 그림이 나온다.

　한글은 참 좋은 그림도구다. 아무 준비 없이도 얼마든지 그림을 그릴 수 있기 때문이다. 풍경이 필요하다거나, 좋은 모델이 없어도 충분히 그릴 수 있다.

한글의 자음과 모음은 각기 다른 모습이다. 그 모양을 합치면 저마다 다른 느낌의 얼굴들이 존재한다. 사람들의 얼굴이 다 다른 것처럼 글자의 얼굴들도 다르다. 이왕이면 나, 우리와 같은 얼굴에 가깝게 만드는 게 어떨까 싶었다.

그림은 나의 내면을 비춰준다. 거울 같은 존재라고 생각한다. 내 내면이 손을 따라 나오고 한글의 모양을 따라 윤곽을 드러내는 게 아닐까. 단어 자체가 갖고 있는 뜻에 따라 손을 움직이는 일이 제일 우선이지만, 결국 그건 내 마음의 소리다.

그림을 그리기위해 내가 제일 먼저 하는 일은 책을 읽는 일이다. 그리고 그 안에서 단어를 찾는다. 가장 인상적인 단어를 마음 안에서 곱씹으면 자연스럽게 얼굴이 떠올려지곤 한다. 가끔은 글자를 맞춰 일부러 얼굴의 형태를 만들 때도 있다. 그럴 땐 늘 내 스스로 마음에 안 든다. 내 감각들이 움직인 손이 아니기 때문이다.

그림을 그리기 전 모든 감각을 통해서 생각해야 한다. '어떻게' 라는 방법으로 그림을 그리면 망치게 된다. 내가 처음 그림을 그리려는 목적으로 생각을 움직이지 않은 것처럼 시작하는 마음으로 붓을 들어야 한다.

사람들은 대부분 '어떻게'라는 말에만 시선을 고정한다. 하지만 방법이라는 건 경험을 통해, 자연스럽게 흘러가는 움직임으로도 충분히 알 수 있다.

가만히 숨만 쉬는 찰나의 시간. 눈을 잠깐 감았다 뜨는 순간의 시간에서도 방법은 묘연하게 내 안으로 흘러 들어온다. 🔳

3장

관계

—

관
계
에

관
한

기
억

—

관계

음식을 편식하면 영양상태가 고르지 않다. 관계도 편식하면 안 된다. 속이 불편해지는 건 마찬가지의 일이다. 골고루 다양하게 음식을 섭취하듯 사람들과의 관계도 골고루 다양하게 접해야 한다.

내가 처음 관계를 맺은 건 어머니다. 다양한 사람들과의 다양한 관계 속에서 가장 가까운 상대를 멀리 둔 적이 있었다. 잘 알면서도 잘 못하는 일 중 하나는 어머니에 대한 마음을 좋게 유지하는 일일 것이다.

초등학교 4학년 때 전남 나주에서 전북 익산으로 이사를 왔다. 익산에는 큰아버지가 계셨다. 벽돌공장을 하는 큰아버지가 함께 일을 하자는 제안으로 우리는 큰맘을 먹고 이사한 곳이었다. 그렇게 우리 가족 고생이 시작됐다. 큰아버지는 부모님의 재산을 가로채고 미국으로 도망가 버렸다.

집도 없어졌다. 셋방살이가 시작됐다. 먹고 살기위해 어머니는 머리에 광주리를 이고 시장을 나갔다. 아버지는 막노동을 할 수밖에 없었다. 성실한 분들이셨지만, 특별한 기술이 없어 수입이 넉넉하지 못했다. 집안일만 하던 어머니까지 바깥일을 하러 나갈 정도였으니 집안 사정이 얼마나 어려웠는지 어린 나도 짐작할 수 있었다.

어머니는 아침 일찍 집을 나섰다. 나가서 제대로 된 식사도 못하시는 것 같았다. 길바닥에 앉아 야채에서 과일까지 여러 가지를 팔았다. 노점을 하면서 아이들 4명을 위해 자신의 몸을 돌보지 않았다. 만약 누군가의 몸이 부서지는 일이 생긴다면 그건 어머니에게 제일 먼저 생길 일 같았다.

마음속에서는 그런 생각을 하면서도 막상 길거리에서 어머니를 마주치면 눈을 피하곤 했다. 어머니가 부끄러워 친구들에게 말도 하지 못했다. 어머니의 초라한 어깨를 떠올리면 나 자신도 똑같이 초라하게 느껴졌다. 나의 초라함과 다르게 어머니는 살아야 한다는 신념과 책임감으로 열심히 일했다.

내가 중학교 3학년 무렵 어머니는 광주리 하나로 장사를 시작해 리어카를 장만했다. 매일 공판장에 가 야채와 과일을 사와 평화시장 옆 길가에서 장사를 했다. 대부분 야채 과일을 다 팔고 집에 돌아오셨다.

어머니는 글도 모르셨다. 어떻게 셈을 하고, 장사를 하는지 궁금할

노릇이었다. 비록 집안 형편은 나빴지만 우리들의 형편은 썩 나쁘지 않았다. 어머니가 누구 앞에서도 주눅 들지 않도록 신경 쓴 덕분이었다. 당시 나는 반에서 육성회비를 제일 먼저 낼 정도였다.

나는 넉넉했지만, 부모님은 그러지 못했다. 일 년 중 하루도 쉬는 날이 없었다. 하지만 한번도 힘든 모습을 보인 적이 없었다. 어머니의 삶은 내 생각과는 달랐다. 멀쩡한 옷 한번 사 입지 못하고, 좋은 곳 구경 한번 제대로 가지 못했지만 늘 당당했다. 어머니의 당당함 때문이었을까? 내가 고등학교에 입학 하기전에 우리는 다시 집을 살 수 있었다.

결혼 후에 어머니와 다투는 일이 잦아졌다. 어머니는 잔소리가 많은 편이었다. 그리고 하나하나 간섭하는 걸 좋아했다. 어릴 때부터 우리 옷은 어머니가 하나하나 고른 것뿐이었다. 자신과 관계된 모든 것들은 자신의 손을 거쳐야만 한다고 생각했다. 그래야만 일이 풀린다고 믿었다.

그런 어머니의 성격이 싫었다. 자신 마음에 들지 않으면 화부터 내는 어머니를 이해하기란 어려웠다. 나는 어머니 마음속에 무엇이 들어있는지 궁금했다. 어머니 때문에 공부를 시작했다. 상담공부였다. 공부를 하면서 어머니에 대한 나의 생각이 틀렸다는 것, 우리는 그저 다르다는 걸 알게 됐다. 왜 나는 다르다는 걸 인정하지 못했을까. 속 좁게 굴었던 시간을 후회했다.

어머니는 여전하다. 내 어릴 적 당당한 모습 그대로다. 직장을 관

두고 집에서 새로운 일을 준비하는 내 걱정뿐이다. 매번 먼저 전화를 해 안부를 묻는다. 생각해보면 어머니 덕분에 걱정 하나 없이 학창시절을 보냈다. 아직까지 내 걱정에 어쩔 줄 몰라 하는 어머니를 떠올리면 고개가 수그러든다.

자식이란 부모를 그대로 닮는다고 한다. 나도 어머니를 닮았을까? 가만히 자문하기도 한다. 어쩌면 나는 닮기를 바라고 있다. 그 당당한 모습이 아직까지 강한 기억으로 자리 잡고 있는 걸 보면 어머니는 내 기억과 추억 속에 꼭 붙어있는 존재이기 때문이다.

나는 어머니 옆에서 여전히 어린 자식처럼, 환하게 웃으면서 오래오래 함께 살고 싶다는 생각을 한다. 우리는 분명 다르다. 내가 어머니의 일부였다가 떼어져 나온 사실이 신기할 정도로 다르다. 하지만 어머니라는 이름 하나만으로도 나는 존재한다. 이건 누구에게나 마찬가지인 사실이다.

관계에서
가장 큰 울타리는 가족이다

관계에서 가장 큰 울타리는 가족이다

94년 뜨거운 8월 나는 결혼을 했고, 가장 큰 울타리를 만들었다.

제일 먼저 나는 담배를 끊었다.

처음으로 내가 만든 울타리 안에

서로의 모습을 뿌옇게 만드는 공기부터 없앴다.

아직도 울타리를 지키기 위해 제일 잘한 일은

담배를 끊은 일이라고 생각한다.

독하게 좋아하던 담배를 독하게 끊어버렸으니

사람들이 고개를 절레절레 흔들기도 했다.

그래도 내가 아직도 담배를 끊고 있는 이유는 단 한 가지, 가족이다.

가족은 담배 연기에 질식된 나의 정신을 바로 잡아준 존재다.

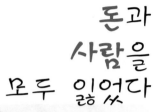

돈과
사람을
모두 잃었다

나랏말쏨과 얼굴

친구

울타리는 좁지 않다

나는 가족의 울타리 바깥에 작은 울타리를 하나 이어 붙었다.
바로 친구다. 친구는 제2의 가족이라고 말할 정도로 가깝다.
학교 다닐 때부터 친한 친구가 있었다.
우린 의형제를 맺고 꼭 붙어 다녔다.
서로를 위한 일이라면 아낌없는 지원을 했는데,
내가 먼 곳에 있는 여자친구를 만나러 갈 때도 그 친구는 동행했다.
나도 마찬가지였다. 우리는 서로를 존중했다.

어느 날 친구가 돈을 빌려갔다. 그리고는 감감무소식이었다.
돈 문제를 떠나 약속을 헌신짝처럼 여기는 그 친구가 보기 싫었다.
만날 일이 생기면 일부러 피하게 됐다.
친구는 제2의 가족이라고 생각할 정도로 참 소중한 존재다.
하지만 신용은 나에게 더 소중한 생활신념이다.
돈과 사람을 모두 잃었다.

내 친구는 나를 어떻게 생각하고 있을까?

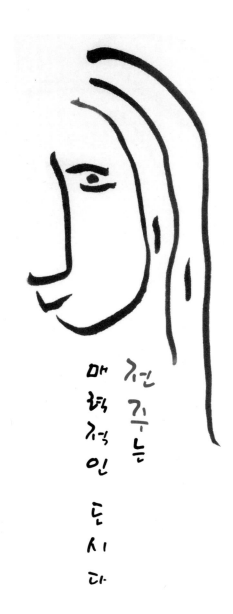

나랏말씀과 얼굴

전 주 는
매 력 적 인
도 시
다

전주|

결혼을 한 뒤 줄곧 전주에 살고 있다

삼천동에서 20년 이상 머물렀다.

전주는 매력적인 도시다. 조선의 또 다른 현대적 모습을 품고 있다.

곳곳에 숨어있는 역사를 통해 다른 나를 찾아내기도 한다.

내 고향은 나주였다.

전라도에 머물면서

이곳이 마치 내 몸의 모든 애환을 다 받아들이고 있는 느낌이다.

새벽, 모악산 땅을 밟으면서

나도 땅위에 사람이라는 꽃으로 자라고 싶다고 생각한다.

내가 앞으로 살아갈 곳도 전주니,

이곳에서 활짝 피어나길 바라본다.

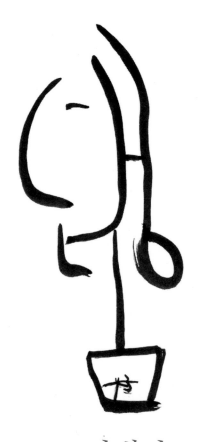

자라오면서 많은 선생님을 만났다

선생님|

자라오면서 많은 선생님을 만났다

국민학교 때 선생님은 기억나지 않는다.

중학교 때 선생님을 기억하면, 맞은 기억이 제일 먼저다.

1학년 때, 떨어진 등수대로 매를 맞았다. 지독하게 아팠다.

엉덩이가 퉁퉁 부풀어 올라야 끝이 났다.

영어 선생님은 굵은 철사로 펜싱하듯 우리의 손을 때렸고,

체육 선생님의 주특기는 발바닥이었다.

참 많이 맞은 기억들이 전부다. ▶

고등학교 때 선생님은 달랐다.

담임선생님은 나를 살뜰히 챙겨 주셨다.

"어렵고 힘들어도 참고, 열심히 공부해야 한다."

집에서도 듣던 뻔한 말이었지만, 처음으로 선생님께 따뜻한 말을 들은 것만 같았다.

결혼식 때 주례를 해 주셨던 선생님도 무척이나 기억에 남는다.

그래도 선생님이라는 존재는 시간이 지난 뒤에는 늘 좋은 감정으로 남아 있다.

내가 거친 수많은 선생님들은 이제 대부분 학교에 안 계신다.

아무리 나쁜 기억이 먼저 떠오른다 하더라도, 그 시절을 더듬다 보면— 내 유년을 잡아 주었던 크고 고마운 손들이 먼저다. 🔲

|미소

꽃

내가 그의 이름을 불러 주기 전에는
그는 다만
하나의 몸짓에 지나지 않았다.

내가 그의 이름을 불러 주었을 때
그는 나에게로 와서
꽃이 되었다.

내가 그의 이름을 불러 준 것처럼
나의 이 빛깔과 향기香氣에 알맞는
누가 나의 이름을 불러다오.
그에게로 가서 나도
그의 꽃이 되고 싶다.

우리들은 모두
무엇이 되고 싶다.
너는 나에게 나는 너에게
잊혀지지 않는 하나의 의미가 되고 싶다.

그림|

김춘수 시인의 〈꽃〉

나에게 아무 형식도 없이 찾아온 침입자가 있다.

한글로 그리는 그림이다.

싫지 않은, 반가운 침입자를 나는 친구처럼 여겼다.

글과 만나는 시간,

그 안에서 오는 느낌에서 고민은 내려두고 그림을 그렸다.

그러면 내가 환하게 밝게- 빛나는 것만 같았다.

나랏말씀과 얼굴

20년 동안
한 회사를 다녔다

에쓰-오일

20년 동안 한 회사를 다녔다

회사의 여러 부서를 거치면서 많고 다양한 사람을 만났다.
내가 다닌 회사는 서울과 지방에 판매조직을 갖고
휘발유, 등유, 경유를 주유소에 판매했다.
매월 할당된 목표를 달성하기 위해
주유소와 영업사원들은 경쟁을 해야 했다.
경쟁 하는 공간에서 실적이 뒤처지면 회의라는 고문을 당하게 됐다.
나도 그 고문을 여러 차례 받은 적이 있었다.
당한 사람은 안다. 하기 싫어서, 내가 게을러서
그 결과가 나온 게 아니라는 걸 말이다.
하지만 조직이라는 곳은 이상적인 실적을 정하고
개인이 로봇처럼 맞추길 바란다.
그보다 더 중요한 건 개인의 목표다.
어떤 조직에서 정한 이상적인 실적이 아닌,
내 개인의 목표가 더 중요하다.
개인의 성장이 빠져버린 목표는 사람을 지치게 만든다.
더 지속 가능하고 스스로가 만족하는 목표가 무엇인지
그 중심을 먼저 살펴야 한다.

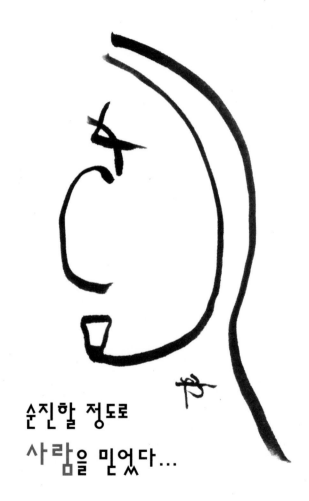

나랏말쑴과 얼굴

순진할 정도로
사람을 믿었다...

사람 |

나는 잘 속았다
순진할 정도로 사람을 믿었다

아내는 늘 무조건 사람을 믿지 말라고 했다.

하루는 동네 친구들과 함께

기분 좋게 요리와 술을 먹는 모임을 가졌다.

식당에서 나와 기다리고 있는데, 안에서 아무도 나오지 않았다.

이상한 생각에 다시 들어가니,

후배 한 명이 바닥에 쓰러져 있었다.

몸은 이미 뻣뻣해지고, 얼굴이 거무스름하게 변해있었다.

즉시 119에 전화를 걸라고 소리를 쳤다.

후배의 굳게 닫힌 입이

저승을 향해 가고 있는 것 같아 정신이 어지러워 졌다.

마라톤을 하면서 죽음과 직면했던 때가 있어

인공호흡을 배워둔 적이 있었다.

나는 후배의 입을 억지로 벌리고 숨을 넣으며, 가슴을 계속 눌렀다.

내 노력을 알았는지 후배의 눈이 번쩍하고 떠졌다. ▶

응급대원이 도착하기 전에 후배를 살릴 수 있었다.

후배에게 나는 생명을 살린 은인이 된 셈이었다. 자연히 후배의 아버지와도 만날 일이 생겼다.

후배 아버지는 나와 사이가 좋아질 때쯤 계속해서 나에게 땅을 사라고 부축이기 시작했다.

아내는 옆에서 사람을 함부로 믿지 말라고 했지만, 자신의 아들을 살려준 사람에게 설마 그럴까 하는 마음이었다.

'아마 그렇다면 벼락 맞아 죽을 사람이지'

이런 생각을 누가 읽었을까?

후배 아버지가 갑자기 쓰러졌고 나는 문병을 자주 갔었다.

상황이 달라졌다.

나에게 소개시켜준 땅들이 모두 거짓이었던 것이다.

자신의 아들을 살려준 것에 대해 아무 대가도 바라지 않았는데, 도리어 나에게 사기를 치려고 했다니…

후배를 불러 욕을 했다. 그렇게 해야지만 마음을 진정시킬 수 있었다.

그때부터 사람을 믿는다는 게 얼마나 무서운 일인지 알게 되었다.

그 사이에는 늘 돈이 연결되어 있었다.

사람을 믿지 못하는 게 아니라 어쩌면 돈에 연결된 관계를 믿지 못하는 일이다.

치밀하게 구는 게 조금은 야속해 보일 수 있다. 하지만 사람의 속을 면밀히 살펴야 한다는 건 사실이다.

조금 더 사족을 붙이자면,

역시 아내의 말을 잘 들어야 하나 싶다.

울고 있다|

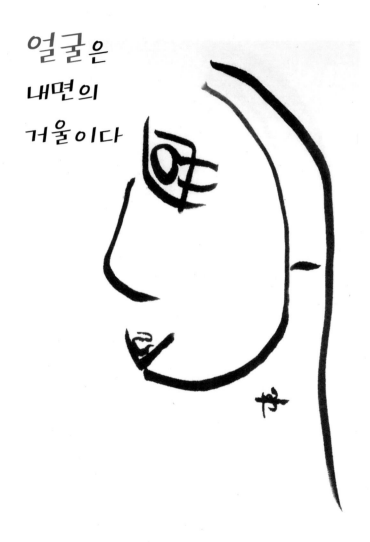

얼굴은
내면의
거울이다

'속에 있는 것은 겉으로 드러나는 법이다 (成於中形於外)'

그리스어로 얼굴은 Prosopon(프로소폰),

'다른 이들의 눈앞에 제시되는 것'이라는 뜻이다.

즉 얼굴이란 다른 이들 눈앞에, 내면을 겉으로 드러내는 것이다.

얼굴은 내면의 거울이다.

내면의 거울은 마을을 이루고 있다.

눈, 코, 입, 귀, 머리가 공동체를 이루며 사이좋게 살고 있다.

공동체는 얼굴로 마을을 대표한다.

서로가 서로에게 도움을 주고받은 관계를

얼굴이라는 간판에 걸어 둔다.

얼굴에 다 쓰여 있다는 말처럼

얼굴은 자신을 대표하는 인간성의 상징이 된다. ▶

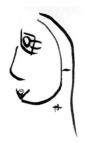

『얼굴, 감출 수 없는 내면의 지도』 저자 뱅자맹 주아노 작가는 "얼굴은 개인으로서의 '나'를 두드러지게 해주는 내 몸의 출발점이자 내 존재를 부각시키는 육체적 서명이다. 얼굴은 내가 '한 개인'이 되는 장소다. 내 사회적 환경이 내게 부여하는 역할과 표지가 얼굴에 새겨진다. 얼굴은 사회가 내게 씌우는 가면이자 내 개성이 담긴, 움직이는 육체적 성소다."라고 했다.

나는 내 개성이 담긴 움직이는 성소를 위해 배움과 웃음을 함께 했다.

웃음으로 얼굴만 포장하지 않고, 겉과 속을 조화롭게 이루기 위해 노력했다.

마음에는 심리가 작용한다. 내 안을 들여다 봤을 때 드러나지 않는 모순이 많았다.

속에 타고 있던 마음들이 사그라지자 외면도 바뀌었다. 꼬여있던 실타래가 점점 느슨해 졌다.

다도를 가르치는 아정 선생님이 말하길, 처음 다도를 배우러 왔을 때보다 인상이 부드러워 졌다고 한다.

나는 얼굴이 나를 드러내는 내면이라고 여기고 매일 아침, 거울을 보며 마음 식구들을 관리한다.

입 꼬리를 올리고, 눈을 둥글게 말아 선하게 꽃을 바라보는 마음으로-

| 하회탈

아이들의 걱정이 앞섰다
그래도 생각이 바뀌지는 않았다

에쓰-오일에 20년 근무했다

결혼을 하고 아이들이 태어나고.

아이들이 벌써 대학교 2학년, 고등학교 2학년이다.

세월이 빠르다는 말만 들었지

이렇게 자고 일어났을 때마다 세상이 바뀌어 있을 줄은 몰랐다.

아내에게 회사를 관둔다고 했을 때, 아내는 아이들 걱정부터 했다.

나도 물론 아이들의 걱정이 앞섰다.

그래도 생각이 바뀌지는 않았다. 2년만. 그래,

2년만 버티면서 내가 하고 싶은 일을 시작하겠다고 마음을 먹었다. ▶

"안 돼, 그럴 수 없어, 이사벨. 그건 내게 죽음과도 같아. 내 영혼에 대한 배신이야."

도서 『면도날』에서 '래리'라는 인물의 말이다. 자신이 하고 싶은 일이 있어 약혼자와 결혼도 포기한 남자 이야기가 내 결정에 격려를 해주었다. 래리는 전쟁에서 겪은 상처로 문득 '왜 살아야 할까?'라는 의문을 품고, 그것에 대해 답을 찾아간다.

자신이 행복하기 위해 살아야 한다는 것은 무엇보다 중요하다. 그러나 현실의 벽은 가족이라는 울타리를 쉽게 뛰어 넘거나 지나칠 수 없다. 처음에는 내 결심과 가족의 울타리 모두를 무너뜨릴 수 없어, 회사를 갈 때 한 손에 책을 들었다. 조직은 살얼음판을 걷는 불안한 존재다. 항상 먹고 살아야 한다는 부담감을 떨쳐버릴 수 없었다.

그래도 회사를 다니면서 많은 것을 배웠다. 관계의 룰, 나와 관계된 모든 것들은 개별적이지만 모두 연결되어 있다. 세포처럼 살아 있고, 피처럼 흐른다. 조직은 평화를 지향하지만 전쟁을 요구한다. 살아남기 위한 조직의 논리다.

강자에게 부드럽고 약자에게 단단한 곳. 그곳이 조직이다.

조직에서 20년 간 산전수전을 다 겪었다. 한없이 말랑할 것만 같은 나도 조금은 조직에서 단단한 껍질을 짊어져야만 했다.

래리가 결혼을 포기하고 의문에 대한 해답을 찾아갔던 것처럼. 나도 나에 대한 의문을 풀기 위해 한 손에 책을 든 것이다.

판매관리 과장 시절, 나는 회식을 하면 늘 악에 받쳐있었다. 술이 들어가면 언제나 상사들을 안주삼아 씹어댔다. 똑바로 하지 않는 상사들에 대한 분노가 컸다. '똑바로'라는 말이 어디서 나온 건지는 모른다. 하지만 내 내면에서 그들은 늘 '똑바로 하라고 말하면서, 정작 본인들은 똑바로 하지 못하는 존재'였다. 술만 마시면 하이드로 변하고 마는 나를 나조차도 이해할 수 없었다.

무엇이든 똑바로, 잘 해야 한다는 통제된 교육에서 온 분노였다. 어린 시절 누구나 그랬듯 통제된 교육 안에서 자라왔다. 통제된 공간과 마음 안에 있는 불같은 화를 어떻게 안정적으로 표출하는지에 대해서 설명을 해준 사람은 아무도 없었다. 그래서 술을 마시면 통제없는 바깥으로 내면의 분노가 터져 나온 것이었다.

조직에서는 아무도 모른다. 내 내면에 대해. 이해해줄 필요도 없는 일인 건 분명하다.

나는 나를 깨기 위해 사직을 했다.

처음, 어떻게든 두 가지를 안고 가려고 했던 마음이 사라져 버렸다. 나는 피해자처럼 말하고 싶지 않다. 삶의 한 경험은 무조건 나를 성장하게 만든다. 이걸 알기 때문이다. 나는 회사라는 껍질을 벗었다. 당당한 삶을 위한 한 발을 이제 막 떼고 있었다.

| 깨어남

4장

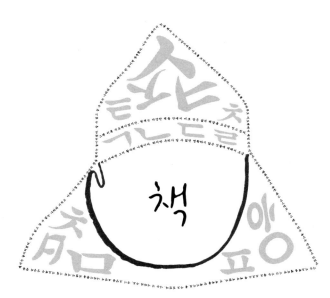

책

— 책 으 로 그 려 낸 그 림 —

책

어린 시절 지도책은 상상의 꿈을 펼치는 놀이터였다. 알 수 없고 갈 수 없는 나라와 지역도 페이지 한 장이면 충분했다. 나는 마치 페이지 안을 뛰어 노는 난장이처럼 지도를 쏘다니듯 페이지를 넘겼다. 미지의 대륙 마추픽추도 지도책에서 제일 먼저 만났다.

지금처럼 텔레비전이 흔한 때가 아니었다. 내가 할 수 있는 놀이는 한정되어 있었다. 나는 지도책을 펼치면 시간 가는 줄도 모르고 푹 빠져 버렸다. 전 세계를 한 페이지로 볼 수도 있었다. 나는 각 나라와 수도, 국기 모양을 보면서 나라이름을 외웠다.

아르헨티나, 브라질, 칠레, 페루, 모로코, 이집트, 에티오피아, 이란, 이라크, 인도, 캄보디아, 중국, 스페인, 포르투갈, 이탈리아, 그리스 등 끝없이 펼쳐지는 이름으로 나라를 상상했다. 알 수 없는 나라, 가 볼 수 없는 나라였지만 지도 책 하나에 의지한 채 모든 나라를 구석구석 돌아다닌 느낌이다. 아마 이때 혼자 멀리 가는 여행을 가장 많이 했는지 모른다.

몇 해 전 앙코르와트에 가서 얼굴 조각상의 인자한 미소를 직접 봤다. 내가 하는 일에 대한 희망과 용기를 받는 기분을 지울 수 없었다. 내가 특별히 직접 가보고 싶은 곳은 마추픽추다. 어릴 때 그 이름만 들어도 마음의 동요가 심했고, 지금도 마찬가지다. 그리운 무언가를 품은 것처럼 그 이름만 들어도 즐겁다. 언젠가 직접 마추픽추를 보게 된다면, 그 얼굴은 어떤 모습으로 나에게 다가올지… 마추픽추에 대한 기대와 희망은 아직 끝나지 않았다.

직접 보는 것과 보지 못한 것에 대한 차이는 크다. 하지만 직접 보지 않았을 때 더 설렘을 느낄 수 있다. 어릴 적 지도를 통해 끝없는 설렘을 안았던 것처럼 말이다.

나는 지도를 통해 꿈을 키웠다. 그리고 상상할 수 있는 모든 것을 다 머리에 새겨 두었다. 지도 안에서 내가 길을 잃고 헤매는 것만 같았다.

지금 삶의 시간은 아마 보이지 않는, 혹은 보이지만 명확하지 않는, 이미 가본 적 없지만 갈 수 있는, 지도의 세계가 아닐까 생각한다. 나는 지금도 내가 지도의 어느 페이지에 떨어져 있는 것만 같다.

어떤 일에 있어서 경험만이 실제적이거나 중요하지는 않다. 내가 미

지에 대한 궁금증과 두려움보다 설렘이 앞섰던 건 아마 남들보다 조
금 더 일찍 길을 잃은 적이 있어서가 아닐까.

　그땐 비록 지도책이었지만, 현재는 다양한 책들 안에서 미로 같은
삶의 해답을 조금씩 얻고 있다. 책은 어쩌면 그저 활자의 나열이다.
하지만 우리가 알 수 없던 명확하지 않은 것들에 대해서 조금 더 명
확하게 보여준다. 🔲

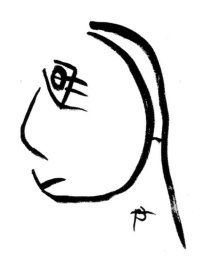

| 내면의 지도

생각을 바꾸면 나라는 존재는 진화한다

무엇을, 어떻게, 해야 할지 모르는 상황에서

책『이건희 개혁 10년』은 나를 앞으로
한 발 더 나아가게 만드는 문장을 하나 주었다.
"마누라 자식 빼고 다 바꾸자"
처음 이 문장을 보고 누군가 머리에 충격을 가한 것 같았다.
나 자신을 위한 변화의 문장은 이 하나로 충분했다.
그래서 독서수첩에 이 문장을 적어 두고 자주 읽고 자주 생각했다. ▶

이건희처럼 잘사는 법은 모른다. 하지만 이건희만큼, 이건희보다 더 새로운 생각은 가능하다.

생각을 바꾸면 나라는 존재는 진화한다. 그렇게 새로운 창조가 가능해 진다.

나는 가족의 소중함을 말로만 하지 않는다.

함께 공유하고 직접 마주하는 일을 선택했다.

소득의 일부는 기부를 해 나눔의 기쁨을 찾았다.

나 자신을 신뢰하고 사랑했다. 그래야 남도 나에 대한 믿음이 생겨 나기 때문이다.

아무리 작은 사소한 일이라도 그냥 넘기지 않았다. 모든 일에 마음과 열정을 가지고 행했다.

나와 관계를 맺고 있는 사람들을 늘 마음 구석에 염두에 두었다.

사람을 판단 내리기 전에 선입견을 없앴다.

나와 관계된 두 사람이 문제가 있다면, 양쪽 말을 다 들었다.

다른 사람의 충고는 언젠가 써 먹을 날이 있다. 지금은 무조건 기억해 둬야 한다.

사람을 의심하지 말고 있는 그대로 받아들이면 타인의 입장에서도 생각할 수 있는 안목이 생긴다.

변화에 적응할 수 있도록 교육과 독서로 결단력을 갖도록 했다.

능숙하게 할 수 있는 무언가를 일 년에 한 가지 이상 계발했다.

내일의 계획은 오늘 세워야 맞다.

기다리는 시간은 잠깐의 여유다. 그 시간을 운용해야만 한다.

항상 긍정적이고 미래 지향적인, 생산적인 태도가 필요하다.

실수를 두려워하지 말고, 실수 이후에 개선되지 않는 대책의 부재를 두려워해야 한다.

유머감각은 나와 상대를 느슨하게 풀어주는 열쇠가 된다.

두 번 듣고 한 번 말해야 한다.

한 권의 책, 하나의 문장으로도

다양한 나만의 생각을 정리할 수 있다.

나랏말씀과 얼굴

"그 다음을 찾기 위해서"

나는 걷는다 |

삶은 뒤가 아니라 앞에 있다

삶은 앞으로 향하는 여행과 비슷하다.

여행을 준비하고 실행하는 것은 나 스스로와의 브레인 스토밍이며,

그렇게 새로운 인생을 시작하는 것이다.

사람들이 내게 무얼 찾으러 여기 왔냐고 묻는다면,

이렇게 대답할 것이다.

"그 다음을 찾기 위해서"

2014년 말 퇴직을 생각하고 있을 때, 읽은 베르나르 올리비에 책이다.

작가는 이스탄불에서 시안까지 실크로드 만 이천 킬로미터 걸었다.

1099일 동안 말이다.

그의 용기를 알고 싶었다.

책을 덮었을 때, 나는 회사를 퇴사할 수 있었다.

그러자, 나의 '다음'이 보였다. 🔲

나랏말씀과 얼굴

"인간은 죽을지는 모르지만

패배하지는 않는다 "

노인 바다

『노인과 바다』

"인간은 죽을지는 모르지만
패배하지는 않는다"

헤밍웨이는 『노인과 바다』를 '평생을 바쳐 쓴 글이자 내가 가진 능력으로 쓸 수 있는 가장 훌륭한 작품'이라고 말했다.

내가 가진 능력 이상을 바라는 마음은 없다.

온전히 내 능력을 다 끌어들일 수 있는 작품이 필요하다.

나랏말쌈과 얼굴

네가 나를 길들인다면...

어린왕자ㅣ

"네가 나를 길들인다면
나는 너에게 이 세상에 오직
하나밖에 없는 존재가 될 거야"

어린왕자는 1번에서 27번까지의 장으로 나누어져 있다.
숫자를 날짜에 맞춰 읽는 재미가 쏠쏠하다.
글은 길지 않다.
하지만 글을 읽은 뒤에 오는 생각의 깊이는 다르다.

이낌없이 주는 나무가 되고싶다

나무

『아낌없이 주는 나무』

나는 아낌없이 주는 나무가 되고 싶다

더 이상 줄 수 없어, 낮은 밑둥만 남아있다 하더라도—
편안하게 내 머리에 쉴 수 있도록,
누군가 다가와 앉을 수 있는
나무가 되고 싶다.

"나는 아무것도 바라지 않는다.
나는 아무것도 두려워하지 않는다.
나는 자유이므로…"

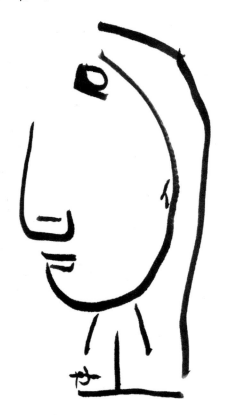

그리스인 조르바ㅣ

행복은 멀리 있지 않다

크고 비싼 것만이 행복은 아니다.
포도주 한 잔, 밤 한 알, 허름한 화덕과 바닷소리 같은.
단순하고 소박한 것들도 행복이다.
조르바의 영혼이 내 삶을 지지해 주었다.
"나는 아무것도 바라지 않는다.
나는 아무것도 두려워하지 않는다.
나는 자유이므로…"

나랏말씀과 얼굴

자기의 삶에 균열을 일으키는 일

길 끝에서|

길의 끝에는 길이 종결된다

하지만 이 책은 다시 길을 찾는다고 말한다.
처음 제목이 좋아 책을 샀다.
이효정 작가는 서울에서 군산까지 걸었다.

"뜻한 바를 이루기 위해 목표를 세우는 것은 의도적, 자발적으로 자기의 삶에 균열을 일으키는 일이다. 그래서 목표는 항상 절실하고 간절한 무엇이어야 한다. 나를 설레게 해야 한다. 그럴수록 틈은 분명해진다. 뜨겁게 열망하는 그 무엇이 가슴에 있어야 틈을 만들 수 있다. 간절히 바라야 그 길을 걸을 수 있다. 틈은 자기가 가고자 하는 길이다. 열망하는 그곳과 지금을 가로지르는 사잇길이다. 목표를 성취한다는 것은 이 균열의 틈을 채우는 일, 그 길을 걷는 일이다."

-길 끝에서 길 찾기 중- ▶

　내 삶에 스스로 균열을 일으키는 건, 얼마나 성숙해야 할 수 있는 일일까.

　내가 내 삶의 안정만을 바라볼 때, 누군가는 스스로 균열을 내고 그 안을 걸었다.

　자신을 위해 무엇을 해야 할지 무엇이 더 옳은 판단일지.

　그건 오로지 자신의 선택이다.

| 달린다

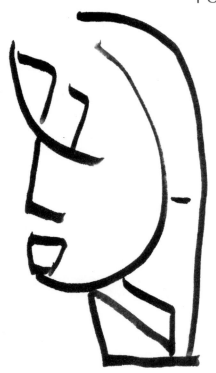

나랏말씀과 얼굴

"가장 높이 나는 새가
가장 멀리 본다"

갈매기 꿈|

『갈매기의 꿈』

"가장 높이 나는 새가 가장 멀리 본다"

다른 갈매기들은 먹이를 찾아 해변으로부터 떠났다 다시 돌아오는
일 이상의 것에는 신경 쓰지 않았다.
하지만 조나단 리빙스턴 시걸에게는 먹이보다 더 중요한 게 있었다.
바로 나는 것이었다.
높이 하늘을 날았을 때,
아래에서 볼 수 없었던 넓은 세상이 펼쳐졌기 때문이다.
매년 찾았던 미국은 높은 곳으로 나를 끌어 올리는 일이었다.
멀리, 그 너머의 깊이를 바라볼 수 있는 새로운 눈을 주었다.
배우는 일, 이건 세상을 향해 나아갈 수 있는
날개의 힘을 기를 수 있게 해주었다.

나 랏 말 씀 과   얼 굴

생각은
어떻게 오는가

"우리는 관찰할 수 있어야 상상할 수 있다. 그리고 그 상상을 통해 형상화가 이루어진다"

나의 관심사 중 하나는 생각은 어떻게 오는가이다.

문득 떠오른 생각들은 도대체 어디를 어떻게 통하여 오는지 궁금했다.

나는 이 책을 읽고 그림을 그렸다. 아니, 생각의 이미지를 그려낸 게 맞는 말인지도 모른다.

『생각의 탄생』은 생각도구를 13가지로 설명한다.

관찰, 형상화, 추상화, 패턴인식, 패턴형성, 유추, 몸으로 생각하기, 감정이입, 차원적 사고, 모형 만들기, 놀이, 변형, 통합이다.

생각도구는 이게 전부가 아니다.

하지만 내가 알았던 부분은 아니었다.

생각을 만드는 도구는 다양하다.

내 식대로 어떻게 다양하게 움직이게 만들 수 있는지.

이게 가장 중요한 도구가 아닐까 싶다. 🔳

좋은 습관은 어렵다

"끊임없이 생각하는 사람은
언젠가는 원하던 것을 발견해낸다"

좋은 습관은 어렵다.

교과서적인 좋은 습관이 이미 몸에 안 배어 있다면 더더욱 그렇다.

하지만 좋은 습관이란 말 자체가 추상적이다.

개개인마다 다를 수밖에 없다.

인사발령으로 주유소로 근무지가 바뀌었을 때,

좋은 습관에 대해서 골똘히 생각했다.

나에게 좋은 습관은, 변화 이 하나였다.

누구에게든 좋은 습관이란 다르게 다가온다.

나에게 가장 결핍된 부분을 찾는 게 우선이다.

그걸 변화 시키는 게 가장 좋은 습관이다.

나랏말쌈과 얼굴

"그림을 그리는 사람은 관찰자이다"

이카루스|

『이카루스 이야기』

"그림을 그리는 사람은 관찰자이다"
— 마르셀 뒤샹

이전과 다른 방법으로 생각하고 말하고 행동함으로써 자신의 존재를
당당히 드러내야 한다.
인간은 모두 외롭다.
연결하라.

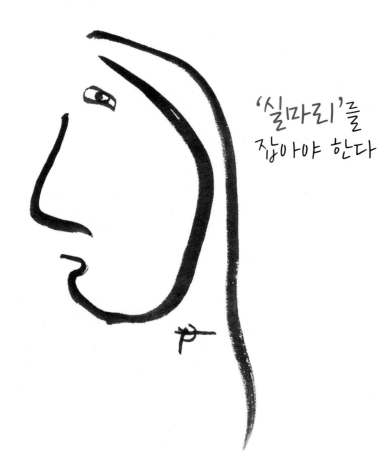

'실마리'를
잡아야 한다

나의 그림은 점이라는 실마리였다

점이 연결되면 선이 된다.
선을 이어나가면 얼굴이라는 그림으로 변형된다.

다산은 말했다.
문제를 회피하지 마라, 정면으로 돌파하라,
끊임없이 의문을 가지고 탐구해 들어가라.

처음 우열을 분간할 수 없던 정보들은
이 과정에서 점차 분명한 모습을 드러낸다.
거기에서 '실마리'를 잡아야 한다.
얽힌 실타래도 실마리를 잘 잡으면 술술 풀리게 마련이다.
더 이상 파 껍질을 붙들고 씨름하지 않게 된다.
핵심을 놓치지 마라.

꿈을 기록하면 예리한 직관력을 갖게 된다

이 책을 읽고 꿈에 대한 글을 썼다

잠에 깬 순간 생각나는 꿈을 블로그에 기록하는 방식이었다.
꿈을 기록하면 예리한 직관력을 갖게 된다.
직관은 내가 무엇을 원하는지 어떤 판단을 내려야 할지,
어떤 상태에 있는지 몰라 혼란을 느낄 때 큰 도움을 준다.
책은 때때로 나도 모르는 가슴을 움직이는 열쇠를 가지고 있다.

나랏말쌈과 얼굴

변신은 언제나
과정을 동반한다

변신 |

"어느 날 아침 그레고르 잠자가 불안한 꿈에서 깨어났을 때 그는 침대 속에서 한 마리의 흉측한 갑충으로 변해있는 자신의 모습을 발견했다"

변신의 첫 문장이다.
어느 날 갑자기라는 말은 틀렸는지도 모른다.
천천히 서서히 그런 징후는 내부에서든 외부에서든 나타난다.
변신은 언제나 과정을 동반한다.

자기 발견은
자신을 정확하게 알고
한 곳에 힘을 집중하는 것이다

재능은 무의식적으로 반복되는 사고,
강점 또는 행동이다

지식은 학습과 경험을 통해 얻은 진리와 교훈으로 구성되어 있다.

기술은 활동의 단계이다.

강점은 재능, 지식, 기술. 이 세 가지의 조합으로 만들어 진다.

자기 발견은 자신을 정확하게 알고

한 곳에 힘을 집중하는 것이다.

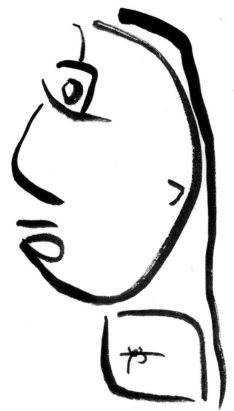

글자가 그림이 되기 위해서는..

이 책을 읽으면서 FACE ART 그리는
방법을 정리하게 됐다

글자가 그림이 되기 위해서는 인체화가 되는 것이다.

인체화라는 것은 변형이다.

글자라는 틀을 버리고 얼굴의 틀로 바꾸는 것을 말한다.

글쓰기는 요원한 숙제다

글을 잘 쓰기 위해서는 규칙이 있다

1. 손을 계속 움직여라

– 방금 쓴 글을 읽기 위해 손을 멈추지 마라.
  그렇게 되면 지금 쓰는 글을 조정하려고 머뭇거리게 된다.

2. 편집하려 들지 마라

– 설사 쓸 의도가 없는 글을 쓰고 있더라도 그대로 밀고 나가라.

3. 철자법이나 구두점 등 문법에 얽매이지 마라

– 여백을 남기고 종이에 그려진 줄에 맞추려고 애쓸 필요 없다.

4. 마음을 통제하지 마라

– 마음 가는 대로 내버려 두어야 한다.

5. 생각하려 들지 마라

– 논리적 사고는 버려야 한다.

6. 더 깊은 핏줄로 자꾸 파고들어라

– 두려움이나 벌거벗고 있다는 느낌이 들어도
  무조건 더 깊이 뛰어 들어라. 그곳에 바로 에너지가 있다.

글쓰기는 요원한 숙제다. 읽고 또 쓰고 끊임없는 연습이 이루어지지
않고서는 넘을 수 없는 벽이다. 🔖

나아갈 길

자기만의 재능을 찾는 4가지 방법

1. 평소 동경하던 일이 무엇인지 찾아보라
– 어떤 일을 오랫동안 동경했다면 반드시 대뇌의 신경생리학적 구조가 그 분야의 일을 잘 할 수 있도록 발달되어 있을 것이다.

2. 특별히 배운 적이 없는데도 방법을 잘 알며, 별 노력 없이 쉽게 이뤄냈던 일이 무엇인지를 생각해보라
– 화가 마티스는 스물한 살 때까지 그림을 그리고 싶은 생각도 없을 뿐만 아니라 붓도 제대로 쥐어본 적도 없었다. 그러던 어느날 어머니로부터 미술도구를 선물 받은 이후, 미친 듯이 그림 그리는 데 빠져들었다. 자신이 해왔던 일 중 유난히 학습속도가 빠른 것이 있다면 주의를 기울여봐야 한다.

3. 어떤 일에 빠져들어 시간 가는 줄 몰랐던 때를 떠올려보라
– 더 많이 배우고 싶어 하며, 시간 가는 줄 모르게 몰입하고, 그 일을 하지 않을 때는 '언제 그 일을 할 수 있을까?' 하면서 기다려지는 일이 있다면 그것이 여러분이 그 일에 만족하며 재능을 발휘할 수 있다는 증거이다.

4. 주변 사람들에게 물어보라
– 때로는 자기 자신보다 다른 사람들이 더 객관적으로 볼 수 있기때문이다. ▶

나는 무엇이든 생각한 일이 있으면, 한 번 더 생각하는 습관을 이 책을 통해 갖게 되었다.

생각만 하다, 행동하지 않고 후회하는 일들이 많다.

그럴 바에는 우선 한 번 하고, 한 번 더 한 다음 후회하는 건 어떨까?

이 습관에서 앞으로 나아갈 길이 보일 것이며,

다시 하는 일에 후회는 점차 줄어들게 될 것이다.

| 재능

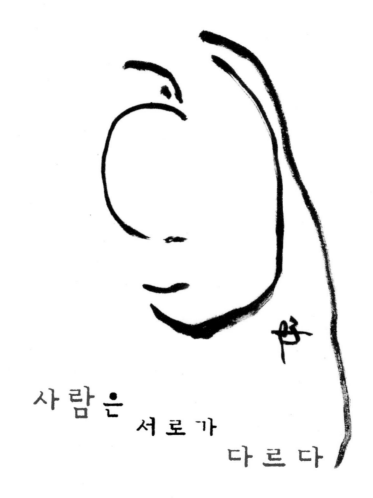

나랏말씀과 얼굴

사람은 서로가
다르다

다르다|

내가 내 심리를 명확하게 알기 전까지는
나도 모르게 수많은 방황을 한다

내가 내 속마음을 깨달을 때, 비소로 나를 관리할 수 있다.

어머니를 위한 심리 공부였지만

내 자신이 잘못 되었다는 걸 알게 되었다.

사람은 서로가 다르다.

이게 명확한 명제 였지만, 나는 인정하지 못했다.

내면에 있는 어린아이가 성숙하지 않은 채,

그대로 삶을 이어 나간 것이다.

'다르다' 는 걸 제일 먼저 깨달아야 한다.

그걸 인정하면 타인과의 관계가 달라진다.

5장

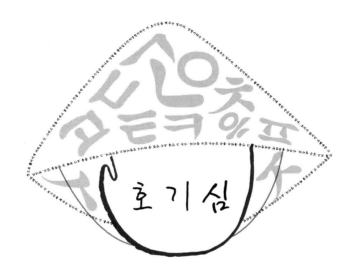

호기심

ㅡ 경험의 겹 ㅡ

호
기
심

경험이라는 건 호기심을 채우는 일이다. 호기심이라는 건 불투명한 유리병 안에 대한 궁금증과 같다. 보이지 않지만 어떻게든 그 안을 보고 싶은 일이다. 아무리 불투명한 유리병이라도 그 안을 통하는 좁은 입구는 있는 법이다. 나는 그 안을 보는 방법 중 하나가 경험이라고 생각한다. 그 비좁은 틈을 보기 위해 눈 한쪽을 감고, 하나의 눈으로 뚫어지게 바라보는 것. 그리고 빛을 비추고 결국엔 그 안을 보게되는 것. 호기심은 하나의 경험을 불러일으킨다.

호기심은 발 옆에 있다. 몸을 수그리고 발을 보는 것 이건 경험의 방법이다. 몸을 숙이지 않고 발을 보기는 어렵지 않다. 하지만 호기심이라는 건 기필코 내 몸을 움직이게 만든다. 몸을 숙이지 않더라도 발을 이리저리 움직이게 되어 있다.

나는 꽃을 좋아한다. 좋아한다는 것 또한 나를 움직이게 만든다. 나는 꽃을 심고 가꾸는 일도 좋아한다. 좋아하는 걸 더 가까이에서 마주할 수 있는 일이니 당연한 일이다.

발치에 예쁘게 피어난 꽃들을 바라보면 자연스럽게 기분이 상쾌해진다. 여러 스트레스가 한번에 사라지는 기분까지 느낀다. 그러면서 작고 예쁜 꽃들에게 호기심이 생긴다.

이렇게 호기심이 생긴다는 건 내 정보를 확대하겠다는 말과 다르지 않다. 꽃을 더 알기 위해서는 검색을 해야 하고, 책을 읽어야만 하는 상황이 오기도 한다. 언제 어떤 꽃이 피는지와 어떤 의미를 갖고 있는 꽃인지, 그리고 어느 곳에서 키워야 하는지까지. 다양한 걸 알아야만 한다. 이건 억지로 하는 일이 아닌 내 스스로가 시키는 일이다.

호기심은 하나의 관계를 만들어 주기도 한다. 관계가 없다면 절대 생기지 않는 게 호기심이기 때문이다. 앞에서 언급한 궁금증을 해소하기 위한 행동도 관계가 이루어져 있을 때 가능하다. 상대에 대한 호기심, 그리고 행동. 이미 이루어져 있는 관계까지. 이렇듯 모든 일은 자연스럽게 연결되어 있다.

경험이 많다는 건 호기심이 많다는 말이고, 호기심이 많다는 건, 좋아하는 것과 관계되어 있는 게 많다는 말이 된다. 그럼 자연스럽게 내가 알고 있는 것들도 많아지기 마련이다. 나는 경험과 호기심의 겹이 더 단단하게, 누구에게든 쌓이길 바란다. 또한 나도.

| 호기심

나는 그림을 놀이처럼
가지고 논다

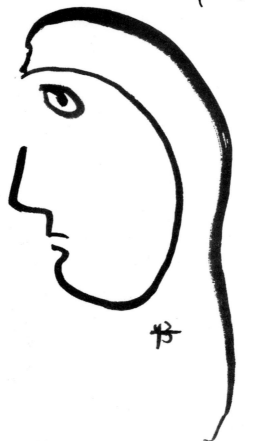

놀이

나는 그림을 놀이처럼 가지고 논다

잘하려고 하는 것이 아니라,
그 순간의 느낌과 생각을 선으로 표현하려고 한다.
의식은 손에 쥔 붓에 맡긴 채,
손끝을 타고 흐르는 물처럼 자연스럽게 나열한다.
규칙 없는 놀이는 황홀함을 가져다준다.

어릴 적 나주에서 동네 아이들과 했던,
구슬치기, 딱지치기, 땅따먹기 놀이와 같은 즐거움을 느낀다.
매번 놀기만 한다고 엄마에게 혼이 나 마루 밑에 숨겨둔 딱지와 구
슬을 몰래몰래 보물처럼 꺼내어 보고 흐뭇해했다.

동네에서 시간 가는 줄 모르고 놀다가도
저 먼 곳에서 상여소리가 들리면 우리는 우리도 모르게
미동 없는 자세로 놀이를 멈추었던 기억이 있다.

나랏말씀과 얼굴

흡수한 란어는 그림으로
다시 만들어 낸다

흡수

영화시간을 기다리며 의자에 앉아
바깥의 풍경을 바라보고 있었다

옆에 있는 사람이 빨대로 음료수를 먹고 있었다.
그때 떠오른 단어가 흡수였다.

무언가를 쭉 빨아들이는 힘.
말보다 동작으로 먼저 익힌 단어였다.
흡수는 나도 모르게 내 안에 각인 되었다.

나는 책을 보며, 단어를 손가락을 짚으며 – 내용을 흡수한다.
흡수한 단어는 그림으로 다시 만들어 낸다.
흡수는 글과 그림으로 내 안에 쌓이고,
하나둘씩 늘어나는 단어에 따라 내 안이 깊어진다.

이 선과 저 선을
어떻게 연결해야 할까?

하나를 제대로 알게 되면
다른 것과 연결되는 힘의 작용을 느낀다

단순함도 반복되면 특별함으로 뻗어나가는 힘이 되기도 한다.

단순한 선을 긋고 생각을 정리한다.

이 선과 저 선을 어떻게 연결해야 할까?

생각은 연결을 통해 오기 마련이며,

연결을 통해 다른 생각의 결과가 나온다.

그림을 그릴 때면
지치지 않는다

그림은 그릴 때 힘이 있다

그리지 않고서는 그림의 힘을 볼 수 없다.
그림은 나에게 즐거운 앞길을 만들어 준다.

그림을 그릴 때면 지치지 않는다.
아무리해도 시간가는 줄 모르게 빠져든다.
내가 그림을 만난 건 행운을 잡은 것과 같다.

나랏말쌈과 얼굴

이건 끌림이다

아름다운 대상을 보면,
어느새 눈은 그 대상을 쫓는다

이건 끌림이다.

끌림은 마음을 잡아당기는 힘이다.

나는 매일매일 어떤 대상에 끌려간다.

그 대상은 늘 바뀌기에 무엇이라 꼭 집어 말할 수 없다.

내 눈을 사로잡을 그 대상은 정확하지 않지만,

눈을 통한 대상이라는 건 확실하다.

의도적으로 책보기를 했다.

이건 대상을 향한 끌림이 아닌, 내 자신을 위한 끌림의 시간이다.

가능성은 노력이 있어야 한다

가능성은
스스로 꾸준히 만들어 쌓은 성城이다

그래서 나는 세상에서 가장 위대한 성城이라고 말한다.
한 발자국을 밟아야, 42.195Km를 완주할 수 있다.
한 발자국 깊이에 담긴 가능성을 스스로 기대해야 한다.

가능성은 의지를 만들고 꾸준히 행동하게 한다.
행동은 계획과 과정을 이끌어 준다.
하지만 가능성은 노력이 있어야 한다.
노력하지 않는 가능성은 허공에서 흩어지는 소리일 뿐이다.
소리가 다시 돌아올 수 있는 장소를 만들어야 한다, 메아리처럼.

나는 넓고 싶었다

새처럼 날기를 희망했다

미국을 처음 가던 날 파스텔 물감으로 흰색 티에 새를 그렸다.
앞뒤로 새를 그려 넣으면서도 왜 새를 택했는지 나도 몰랐다.

내 무의식이 숨겨놓은 잠재의식이었다는 걸 나중에 깨달았다.
나는 날고 싶었다. 조금씩 움트는 날개를 잠재의식에 숨겨 두었다.
나를 완벽한 새로 만들어 주는 건 그림이다.
새가 되어 날아갈 수 있는 날,
어디든 자유롭게- 두려움 없이 그곳으로 가고 싶다. 🔲

기차

기차에 타면

기차의 재미는 역시 완행열차다

꾹꾹 눌러 담은 도시락의 밥알처럼 붐비는 자리에서
이리저리 몸을 움직이는 것조차 불편하지 않다.

무엇보다 사람 구경이 제일이다. 젊은 시절 친구와 함께 기차를 탔을
때 건너편에 앉은 여자에게 눈길이 갔다.

옆얼굴이 매력적인 여자였다.

곧은 콧대와 달걀형의 얼굴, 두툼한 입술.

친구와 나는 작전을 짰다.

그녀가 우리 시선을 느낄 정도로 얼굴을 주시하기로 한 것이다.

여자가 우리의 시선을 모를 리 없었다. 그래도 우리는 그대로 여자를
주시했다.

차장이 표 검사를 할 때, 여자가 우리와 같은 익산역에서 내리는 걸
알게 됐다.

익산역에 도착했다. 우리는 바로 행동을 했다.

"저기요……."

떨리는 음성으로 말을 붙였다. 여자는 예상한 눈치였다.

여자와 자주 만났다. 그녀의 아버지가 하는 중국집에도 곧잘 갔다.

이제는 어디서 어떻게 사는지 모르지만—

기차에 타면 문득,

그 시절의 기억이 덜컹덜컹 소리를 내며 머릿속에 들어선다. 🔲

마무리

에필로그

─ 살아갈 날과 살아온 날의 흔적 ─

에필로그

"책은 흔적이다. 살아갈 날과 살아온 날의 흔적이다"
흔적이란 어떤 현상이나 실체가 없어졌거나 지나간 뒤에 남은 자국이나 자취다.

책을 보면 살아온 흔적과 살아갈 흔적을 볼 수 있어 좋다.
글의 대부분은 검정색이다. 나는 검정색을 내려다보며 문득 다가온 색의 의미를 깨웠다. 겨울이 지난 뒤에 봄을 준비하는 기간이 있다. 검정색은 이런 계절의 뒤바뀜과 마찬가지로 소생과 흐름, 변화를 준비하는 색이라고 생각한다.

책 속에 그려진 그림과 글자의 색을 보면서, 독서는 타인의 사고를 반복함에 그치는 게 아니라 생각거리를 얻는데 참된 의의가 있다는 흔적 하나를 얻었다.

발자크는 말했다.

"사람의 얼굴은 하나의 풍경이며 한 권의 책이다"

나는 사람의 얼굴을 그리며, 다양한 풍경이 지나가는 걸 바라보았다.

풍경은 나의 모습이었으며, 실상이었다.

이제 모든 풍경들이 책으로 모아졌다.

살아온 날들의 풍경을 다시 확인 할 수 있는 이 작은 책으로 나는 충분히 행복하다.

오랜만에 마음이 편안해지는 기분이다.

살아갈 날도 행복할 것만 같은 예감은 늘 기쁘다.

다시, 다양한 풍경을 마주할 거다.

나는 풍경 속에서 작은 여유를 찾을 수 있는 흔적이 되고 싶다.

이 책을 통해 누군가 단 한 사람이라도 행복해진다면, 나는 성공한 흔적이 되지 않을까 싶다.

내 가족들, 출판을 도와준 모든 분들에게 내 흔적을 천천히 내비치며, 글을 마무리 한다.

2015. 여름, 전영현